Un visiteur étrange-bizarre

Anne Didier est née en 1969. Professeur de français, il lui tenait à cœur de donner aux élèves l'envie d'écrire de belles histoires. Après la naissance de ses deux garçons, elle s'est décidée à écrire, elle aussi... pour les enfants.

Du même auteur dans Bayard Poche :
Les apprentis sorciers – Le trésor du roi qui dort – L'épreuve du prince Firmin (Mes premiers J'aime lire)
Enquête chez Tante Agathe – La clef magique – Classe verte sur planète bleue (J'aime lire)

Nicolas Hubesch est né en 1969 dans la banlieue parisienne. Après quelques détours par Clermont-Ferrand, Lyon, Dijon et Strasbourg, il est revenu dans la capitale où, depuis sa fenêtre au sixième étage, il peut contempler le ciel de Paris et les pigeons qui, perchés sur les antennes de télévision, réfléchissent sur le sens de la vie...

Du même illustrateur dans Bayard Poche :
Un fantôme à la bibliothèque (Mes premiers J'aime lire)

Dépôt légal : mai 2009
ISBN : 978-2-7470-2778-6
Loi du 16 juillet 1949 sur les publications destinées à la jeunesse

Un visiteur étrange-bizarre

Une histoire écrite par Anne Didier
illustrée par Nicolas Hubesch

1
Visite d'un autre monde

Maman, qui est journaliste, était partie faire un reportage à l'autre bout de Paris. Je passais donc mon mercredi après-midi tout seul à la maison. J'étais sur mon lit en train de lire le dernier numéro d'*Info magazine* quand une annonce du courrier des lecteurs a attiré mon attention…

Élève extraterrestre voulant mener une étude sur la planète Terre recherche correspondant terrien qui pourrait l'héberger.

J'ai trouvé la blague tellement drôle que j'ai décidé d'y répondre. J'ai noté l'adresse Internet : **biourk.grog@nimbea.cosm**, et j'ai envoyé immédiatement la réponse suivante :

Cher extraterrestre,

Je m'appelle Félicien Sarrasin, j'ai neuf ans et je suis prêt à t'héberger chez moi quand tu veux. Il y a même une place de libre pour garer ta soucoupe sur le parking en bas de mon immeuble. Alors, à bientôt.

Félicien 

Je n’avais pas plus tôt envoyé mon message que j’ai entendu un bruit énorme dans le salon. Un peu comme si le buffet avait explosé et que toutes les vitres en avaient profité pour tomber.

Je me suis précipité et j’ai vu un garçon inconnu, qui semblait avoir atterri au milieu du canapé et qui essayait de retrouver son équilibre parmi les coussins.

Ma bouche s'est ouverte, mais aucun son n'en est sorti.

– Je suis désolé-contrit pour l'atterrissage, a dit le garçon, l'air ennuyé, je suis encore un peu novice-amateur en téléportation.

Je suis resté un moment stupéfait, puis j'ai pensé à toute vitesse : « Félicien, pas de panique, ce n'est sans doute qu'une mauvaise blague, peut-être même un truc du genre caméra cachée, comme à la télé. »

Mais il était évident qu'il ne s'agissait pas d'une blague. Le garçon n'était pas un Terrien : ses cheveux étaient transparents comme du verre, ses yeux avaient des pupilles dorées comme je n'en avais jamais vu auparavant, et ses mains ne comportaient que trois doigts longs et fins...

– Je suis Biourk Grog, ton correspondant de Nimbéa, a repris le garçon, merci d'avoir répondu à mon annonce. J'ai un devoir à faire sur les habitudes terriennes, et comme c'est très urgent-pressé je me suis permis de venir rapidement. J'ai l'autorisation de rester chez toi jusqu'à demain soir...

– Ah… vraiment ? euh… eh bien…, ai-je balbutié, d'accord, mais à condition que mes parents ne te voient pas. Ils sont journalistes tous les deux, et ils seraient capables de t'interviewer pendant toute la durée de ton séjour. Ensuite, tu serais dans les journaux de la France entière… et on ne te laisserait plus repartir.

– Ah bon ? a dit le garçon, étonné. Ce serait un tel événement ?

Il a réfléchi un moment et il a ajouté :

– Mais oui, bien sûr… vous n'avez jamais de visites extraterrestres, ici. Votre planète est trop polluée-abîmée pour intéresser les touristes.

Biourk m’a regardé :

– Moi, je suis passionné-fou de la Terre depuis que je suis tout petit... J’ai déjà lu dix fois *La Terre est un mystère*. C’est le seul guide touristique concernant votre planète. Ça fait un moment que je rêvais de venir ici. D’ailleurs, à l’école, les élèves se moquent de moi à cause de cette passion étrange-bizarre.

– Moi aussi, les élèves se moquent de moi à l’école, ai-je ajouté.

– Pour quelle raison ? m’a demandé Biourk, intéressé.

– Oh… J'ai en particulier des problèmes avec Grégory Moulino, mon voisin de classe. Il n'arrête pas de me persécuter.

– Il ne faut pas le laisser faire, m'a dit Biourk.

– Facile à dire, lui ai-je répondu, mais Grégory fait deux têtes de plus que moi. Bon, on ne va pas parler d'école tout l'après-midi. Assieds-toi, je vais te chercher à manger… Ton voyage a dû te fatiguer.

2
Un jeu renversant

Je suis allé chercher du jus d'orange et des cacahuètes à la cuisine. Biourk a regardé la nourriture d'un air un peu surpris, il a saisi une cacahuète, l'a observée attentivement puis l'a placée dans son oreille.

– Vous mangez… par les oreilles ? ai-je demandé.

Biourk a émis un petit rire et m'a répondu très sérieusement :

– Mais non, voyons ! nous mangeons par les orteils !

Comme je faisais les yeux ronds, Biourk m'a rassuré :

– Ne t'inquiète pas, c'est de l'humour nimbéen. Je mange par la bouche, comme tout le monde ! J'ai simplement cru un moment que tu m'offrais des boules de décompression à mettre dans les oreilles... pour m'aider à me remettre de mon atterrissage.

Il m'a regardé dans les yeux puis m'a demandé un peu timidement :

– Tu n'aurais pas plutôt quelques raviolis à me servir pour le goûter ? D'après mon guide préféré-culte, c'est le plat terrien le plus fameux-raffiné.

J'ai murmuré :

– Euh... si, bien sûr.

– Je peux venir avec toi ?

Nous avons ouvert le placard de la cuisine. Il y avait trois boîtes de raviolis sur l'étagère. J'en ai pris une, et Biourk s'est saisi des deux autres. En secouant les deux boîtes, Biourk a demandé :

– La nourriture est dedans ou on doit manger l'emballage dur-solide ?

J’ai répondu précipitamment :

– On ne mange pas l’emballage dur-solide.

J’ai ouvert les raviolis avec un ouvre-boîtes et, avant même que j’aie expliqué qu’on devait les réchauffer dans une casserole, Biourk avait déjà entièrement vidé la première boîte et il commençait déjà la deuxième.

Alors que j'enterrais les trois boîtes vides au fond de la poubelle, Biourk a demandé :

– Et maintenant, est-ce qu'on pourrait faire un jeu ?

– Un jeu terrien ou nimbéen ?

On a tiré à la courte paille et le jeu nimbéen l'a emporté.

– On pourrait faire un tournibouli, alors ! a proposé Biourk.

Je n'ai même pas eu le temps de lui demander la règle du jeu qu'il faisait déjà tourner ses pupilles comme des toupies.

Les tableaux, le buffet, la table basse, les plantes vertes, la grande horloge et même le tapis se sont mis à voler dans tout le salon. Après quelques secondes, tout est retombé par terre à mon grand soulagement, mais dans un désordre indescriptible.

L'eau de l'aquarium remplissait l'armoire ; l'horloge qui s'était retrouvée à l'envers faisait « tac tic » ; le tapis était accroché aux rideaux et les poissons frétillaient dans les plantes vertes... Quant aux tableaux, j'étais incapable de savoir s'ils étaient à l'endroit ou à l'envers parce que c'était de la peinture abstraite*.

* La peinture abstraite ne représente pas la réalité, comme sur une photo. Elle est faite de lignes et de taches de couleurs.

Biourk a dit :

– Le but du jeu, c'est de retrouver la place d'origine de chaque objet. Et tu vas voir, ce n'est pas simple-évident. On s'amuse à faire ça à l'école quand la maîtresse est au tableau. Ça la rend dingue-folle.

En effet, ça n'a pas été simple-évident de tout remettre à sa place... Ça nous a pris une bonne partie de l'après-midi.

3
Le tournibouli, ça déménage…

Quand on a eu terminé, Biourk m’a demandé si je voulais une petite leçon de tournibouli.

– Le tournibouli est aussi un super moyen de défense contre les enquiquineurs, m’a-t-il dit. Cela te serait peut-être pratique-utile à l’école pour régler certains problèmes…

Comme j'étais très intéressé, il m'a proposé de me transmettre un peu de son pouvoir. Il a touché mon front avec son doigt et j'ai eu l'impression que mon cerveau faisait un bond dans ma boîte crânienne.

Tout de suite après, j'ai senti que mon regard était plus intense qu'à l'ordinaire. Biourk a ensuite désigné une feuille de papier sur la table du salon et m'a dit :

– Maintenant, concentre-toi, tu vas essayer de soulever cette feuille en la fixant, sans cligner des yeux.

J'ai regardé la feuille, et soudain, elle s'est froissée toute seule.

– Tu y es presque ! s'est exclamé Biourk, maintenant regarde vers le haut.

Les yeux commençaient à me piquer, mais j'ai réussi à faire monter la feuille de trois centimètres.

– C'est un début encourageant-prometteur, a dit Biourk, le reste n'est plus qu'une question d'entraînement. Logiquement, dans une semaine, tu pourras soulever des objets de plusieurs centaines de kilos.

Je m'imaginais déjà en train de téléguider le cartable de Grégory Moulino jusque dans le bureau de la directrice quand j'ai entendu la clef de la porte d'entrée tourner dans la serrure. J'avais complètement oublié l'heure ! Mes parents étaient déjà de retour.

J'ai entraîné Biourk à toute vitesse dans ma chambre et j'ai refermé la porte derrière nous.

– Tu vas te cacher ici un moment, ai-je soufflé. Je te trouverai un coin pour dormir tout à l'heure.

Biourk a acquiescé et s'est glissé à l'intérieur de mon armoire.

Il était temps car, dans le salon, la voix de Maman lançait déjà des « OH ! » et des « EH ! ».

– Félicien ! a appelé Maman, tu peux m'expliquer pourquoi les plantes vertes ne sont plus au même endroit et pourquoi tous les tableaux sont à l'envers ?

J'ai rejoint Maman, le cœur battant...

– Euh... un nouveau copain est venu, ai-je commencé.

– Je suis contente que tu aies un nouveau copain, Félicien, a-t-elle répondu. Mais j'aurais préféré que vous ne refassiez pas la décoration intérieure !

Papa a jeté un coup d'œil aux tableaux.

– Ils ne sont pas mal dans ce sens-là, a-t-il remarqué. Cela dit, tu vas nous faire le plaisir de les remettre à l'endroit, Félicien.

Je suis allé m'occuper des tableaux, puis j'ai proposé à Maman de l'aider à préparer le repas pour qu'elle n'ait pas l'idée de nous faire des raviolis. Heureusement, Maman était vraiment contente de son reportage. Elle avait tellement de choses à raconter qu'elle ne m'a posé aucune question sur mon après-midi.

Après le dîner, j'ai annoncé que j'avais des devoirs à finir et je suis retourné voir Biourk dans ma chambre.

À vrai dire, mes devoirs ont surtout consisté à m'entraîner au tournibouli. Biourk m'a donné des conseils pour me concentrer et je me suis amusé à déplacer tous les meubles.

Au bout d'un moment, Papa est venu tambouriner à ma porte et m'a demandé :

– Qu'est-ce que tu fais, Félicien, tu déménages ?

Pour être plus discrets, on a donc décidé de faire juste une bataille d'oreillers téléguidés. Puis Biourk m'a demandé s'il pouvait dormir sous mon lit car il se sentait très fatigué...

Avant de s'endormir dans mon sac de couchage, il a murmuré :

– Demain, tu pourras déjà jouer des tours à ce Grégory Moulino... Et tu me raconteras tout, en rentrant, d'accord ?

– Promis ! ai-je répondu. Mais toi, qu'est-ce que tu vas faire pendant toute la journée, tout seul ici ?

– Je commencerai par une grosse-grasse matinée… et puis je rêve de regarder la télé terrienne et de…

Sa voix s'est perdue dans un soupir. Biourk était si fatigué qu'il s'était endormi avant de terminer sa phrase.

4

Grégory Moulino a des problèmes

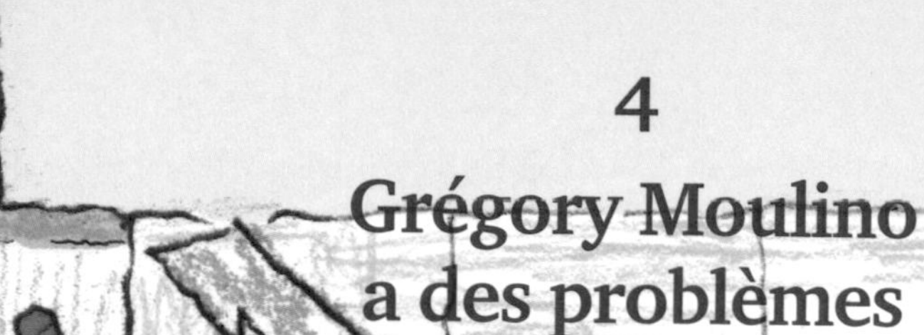

Le lendemain matin, je me suis levé sur la pointe des pieds pour ne pas réveiller Biourk. Pendant que mes parents étaient dans la salle de bains, je me suis un peu exercé au tournibouli sur la boîte de céréales. Je l'ai soulevée sans aucune difficulté. J'ai même réussi à verser les céréales dans mon bol.

Quand je suis arrivé à l'école, j'ai tout de suite repéré Grégory Moulino qui m'attendait devant la grille, comme d'habitude.

Il a hurlé dans ma direction :

– Le petit chouchou de la maîtresse est en forme pour réussir sa dictée ?

J'ai franchi le portail sans même lui adresser un regard. Il m'a alors rattrapé et m'a enfoncé mon bonnet sur la tête.

– Ça t'apprendra à répondre quand on te pose une question, m'a-t-il dit en se sauvant vers le préau.

– Tu ne perds rien pour attendre, Grégory Moulino, ai-je murmuré entre mes dents.

En classe, on a tout de suite commencé par la dictée.

– Prenez une feuille et sortez vos stylos, a dit la maîtresse.

Elle a commencé à dicter :

– *Autrefois, les bûcherons abattaient les arbres à la hache...*

– Pousse ton coude, microbe, m'a dit Grégory, tu m'empêches de voir comment tu as écrit « autrefois ».

– Tu n'as pas intérêt à copier sur moi, lui ai-je répondu, sinon, tu vas voir !

– Et qu'est-ce que je vais voir, minus ? a demandé Grégory.

Sans répondre à Grégory, j'ai fixé son stylo, qui lui a glissé immédiatement des mains. Grégory s'est baissé pour le ramasser et il a essayé de copier à nouveau sur moi, mais son stylo est à nouveau tombé.

Ensuite, à chaque fois que Grégory a regardé ma copie, il a dû le ramasser...

La maîtresse s'en est aperçue. Elle a interrompu la dictée pour venir voir ce qu'il faisait.

– Mais, Grégory, tu n'as rien écrit ! s'est-elle exclamée, à part le mot « autrefois », et il y a déjà trois fautes dedans.

Grégory est devenu rouge et il a balbutié :

– J'y peux rien, mon stylo tombe tout seul.

Quelques élèves ont ricané et Grégory s'est renfrogné.

Après la dictée, on est passés aux maths. Grégory a sorti son compas de sa trousse et a fait mine de me piquer avec.

La maîtresse nous a demandé d'ouvrir notre livre de maths à la page 26, pour faire un exercice. Mais à chaque fois que Grégory trouvait la page 26, je me débrouillais pour que son livre se referme.

Au bout d'un moment, il a commencé à s'agiter...

– Tu as un problème, Grégory ? a demandé la maîtresse.

– J'y comprends rien ! a-t-il maugréé. Mon livre se referme tout seul...

La maîtresse a levé les yeux au ciel et toute la classe a rigolé...

– Eh bien, puisque ton livre ne t'obéit plus, tu vas faire l'exercice au tableau, a répondu la maîtresse sur un ton moqueur.

Grégory s'est levé. Quand il est passé devant ma table, il a voulu donner un coup de coude discret à ma trousse pour la faire tomber. Ma trousse a immédiatement fait un écart !

Grégory s'en est aperçu et m'a jeté un regard où se mêlaient l'étonnement et la crainte...

Ensuite, Grégory s'est dirigé vers le tableau et il a écrit l'opération à résoudre :

48 divisé par 7

Il a réfléchi et, au moment où il allait marquer la réponse, je me suis concentré sur la craie pour qu'elle inscrive un nombre énorme :

97 850 000

La maîtresse était médusée. Grégory l'a regardée puis il m'a regardé aussi et il a murmuré :

– J'y peux rien, c'est…

La maîtresse s'est vraiment fâchée.

– Ah non ! Ça suffit, maintenant, Grégory ! l'a-t-elle coupé. Si tu me racontes que la craie a écrit ce nombre toute seule, je t'envoie immédiatement chez la directrice.

Grégory est revenu s'asseoir à côté de moi : il avait l'air de réfléchir.

– Comment est-ce que tu fais ça, microbe ? a-t-il murmuré.

– Je t'expliquerai quand tu me trouveras un autre surnom..., ai-je répondu.

5
Un événement

Quand je suis rentré à la maison, j'ai découvert Biourk qui lisait une de mes bandes dessinées dans ma chambre.

– Comment s'est passée ta journée ? lui ai-je demandé. Tu ne t'es pas trop ennuyé ?

– Oh non ! a répondu Biourk. J'ai regardé plein d'émissions à la télé, ça m'a appris beaucoup de choses sur vos habitudes. Les Terriens de votre télé, par exemple, s'embrassent sur la bouche toutes les trois minutes.

– Tu n'as pas dû regarder un match de rugby...

Biourk a ajouté :

– Sinon, j'ai fait une promenade dans Paris. C'est sale-pollué, mais je ne suis pas tombé malade ! Je me suis permis de t'emprunter un bonnet et des gants pour ne pas me faire remarquer. J'ai vu beaucoup de magasins et de bâtiments pittoresques-intéressants, en particulier une géante-immense tour en fer qui ressemble à une fusée. J'ai essayé de la soulever un peu... mais elle était tellement lourde-pesante que je n'ai pas pu la déplacer beaucoup. Et toi, comment s'est passée ta journée ?

J'ai raconté à Biourk comment je m'étais servi du tournibouli pour me défendre de Grégory Moulino. Biourk riait aux larmes.

– Tu sais, ai-je ajouté, ce qui est arrivé a vraiment impressionné Grégory. Je crois qu'il ne m'embêtera pas de sitôt. Je te remercie beaucoup, Biourk…

Biourk a souri :

– Moi aussi. Tu as été tellement chouette-sympa de répondre à mon annonce… Je crois que je vais faire un super-génial exposé en rentrant… et, à mon avis, ça va donner envie à plus d'un Nimbéen de venir découvrir la Terre.

Biourk a regardé le ciel par la fenêtre de ma chambre :

– Je ne vais pas pouvoir rester beaucoup plus longtemps... J'ai promis à mes parents de rentrer en début de soirée.

– On pourra se revoir ? lui ai-je demandé.

– Oh, j'en serais ravi-enchanté, a-t-il dit. Mais je ne veux pas abuser de ton hospitalité...

On s'est donné rendez-vous deux mois plus tard, un autre mercredi après-midi, pendant ses prochaines vacances scolaires.

Puis Biourk a compté :

– 4, 3, 2, 1, 0…

Et il a disparu dans un bruit épouvantable.

Je me suis allongé sur mon lit, en souriant intérieurement... C'était bizarre, il me semblait que je n'avais plus aucun problème dans la vie. Quelques minutes plus tard, Maman a téléphoné.

– Félicien, m'a-t-elle dit, je rentrerai tard, ce soir. Je dois faire un reportage sur un événement absolument incroyable. D'ailleurs, tu ne vas pas me croire... Il semblerait que la tour Eiffel se soit déplacée de plusieurs mètres, cet après-midi !

– Pas possible ! me suis-je exclamé, abasourdi.

En raccrochant, j'ai soudain compris : Biourk m'avait parlé d'une immense tour qu'il avait essayé de soulever… et je n'y avais pas vraiment prêté attention. C'était la tour Eiffel !

La prochaine fois que je verrai Biourk, il faut absolument que je lui dise que ce n'est pas très conseillé-permis de faire du tournibouli avec les monuments de Paris !

Achevé d'imprimer en mars 2009 par Pollina S.A.
85400 LUÇON - N° Impression : L48560B
Imprimé en France